Escuela de dibujo para niños

Editora: Eva Domingo

Publicado por primera vez en Alemania en 2006 por OZ Verlag GmbH, Rheinfelden, bajo el título: *Die grosse Kinder-Zeichenschule,* de Hanne Türk y Rosanna Pradella.

© 2009 *by* Christophorus Verlag GmbH & Co. KG, Freiburg, Alemania
© 2012 de la versión española
by Editorial El Drac, S.L.
Marqués de Urquijo, 34. 28008 Madrid.
Tel: 91 559 98 32. Fax: 91 541 02 35.
E-mail: info@editorialeldrac.com
www.editorialeldrac.com

Textos: Norbert Landa
Ilustraciones: Rosanna Pradella (excepto las de las páginas 7 –arriba–,
10, 11 –abajo a la izquierda– y 13 –arriba–, de Hanne Türk)
Cubierta: José María Alcoceba
Traducción: Cristina Rodríguez
Revisión técnica: María José Unturbe

ISBN: 978-84-9874-240-4
Depósito legal: M-1.713-2012
Impreso en Gráficas Muriel S.A.
Impreso en España – *Printed in Spain*

Escuela de dibujo para niños

Aprende a dibujar paso a paso de forma fácil y divertida

Hanne Türk y Rosanna Pradella

Índice

Sobre este libro

A todos los niños les gusta pintar. Y aquí no juega ningún papel tener o no talento pictórico, como tampoco influye esto en la importancia del dibujo para el desarrollo del niño. Dibujar requiere sobre todo percepción visual, capacidad de abstracción y la interacción entre el ojo y la mano. Al niño se le ofrece un espacio para expresar sus sentimientos y fijarlos en el papel. Con este libro los niños practican de forma lúdica el manejo del lápiz y el papel, y aprenden de un modo muy divertido a crear cuadros bien conseguidos.

Permita primero al niño manejar libremente los materiales; el proceso comienza con el empleo al principio de mucho papel y la realización de grandes trazos: la muñeca del niño evoluciona libremente por sí sola hacia formas básicas, dibujando garabatos redondos, palotes y formas en zigzag. De este modo los niños traban amistad con el lápiz, el cual –no siempre, pero cada vez de modo más frecuente– hace lo que el niño desea: por ejemplo, una raya recta o un huevo. Se trata, al mismo tiempo, de ejercicios preparatorios y prácticas en sí mismas para aprender a dibujar.

Cuerpo y espíritu se compenetran creando súbitamente una coordinación segura entre el ojo y la mano, y posibilitando al mismo tiempo el aprendizaje de las formas, que al principio son siempre o redondas o angulosas. Se profundiza en esta experiencia hablando con el niño sobre ella. Un largo garabato compuesto por "líneas enroscadas" repetidas, acompaña de un modo onomatopéyico el ritmo del dibujo dirigido por la mano. Una "forma en zigzag", en cambio, suena cortante y aguda, y además deja detrás unas huellas puntiagudas. A partir de la realización de ejercicios libres se consiguen más adelante las formas básicas: el círculo, el óvalo, el triángulo y el cuadrado.

En esto se basan los ejercicios de dibujo de este libro: inician al niño en la percepción de las formas básicas, ocultas por ejemplo en la figura del enanito, la oruga o el castillo. Estos ejercicios muestran de qué modo estas formas básicas, dentro de una composición, conducen paso a paso hacia el cuadro, y cómo eliminando líneas auxiliares y añadiendo detalles, surge el cuadro final.

Todo ello acompañado por sencillos textos que comentan los dibujos paso a paso. Además, estos textos narran una breve y simpática historia sobre cada cuadro. Se recomienda leer y repetir en voz alta un par de veces estos párrafos, tan bien conseguidos como los dibujos. Ver y escuchar, hablar y dibujar: a través del lenguaje gráfico y de los dibujos narrados, el pequeño dibujante tomará conciencia simultáneamente del sonido del cuadro y de la imagen del lenguaje.

Consejos

Cada dibujo se construye sobre una o varias formas geométricas básicas: el círculo, el óvalo, el triángulo, el cuadrado y el rectángulo. Al mirar el dibujo terminado y coloreado, se hace evidente el importante papel que juegan las formas básicas, al ver en qué se han transformado al final. Propóngale al niño, jugando (sin lápiz ni papel), que descubra las formas escondidas en diferentes objetos del entorno que le rodea.

Deje que el niño comience a dibujar las formas básicas practicando con trazos amplios, y preferiblemente sobre trozos grandes de papel. Ponga atención en que el niño no se agarrote al pintar y dibuje con la muñeca suelta.

La goma de borrar es un importante ayudante (y mejor aún: ayuda al niño a corregir lo que él considera que no le ha salido bien). Hace desaparecer las líneas "erróneas" y las líneas auxiliares. Estas últimas han sido útiles al dibujar, pero antes de colorear el dibujo suelen ser borradas o eliminadas con goma o con manchas de color. ¡Al dibujar, es tan importante eliminar como añadir líneas! Por ello, las ceras sirven para trabajar la mancha y el color más que para dibujar.

Se recomienda realizar los bocetos con lápiz blando o lápices de colores, aunque estos últimos no se eliminan después tan fácilmente. Para colorear los dibujos son muy adecuadas las pinturas de cera.

Si pinta junto con el niño, conviene hablar primero con él del "proyecto". Lea a su hijo previamente la historia que acompaña al dibujo del libro y repítala con él. Estas narraciones son rápidas de retener y entretendrán a los pequeños dibujantes durante mucho tiempo.

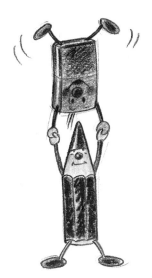

Deje a su hijo elegir libremente lo que quiere dibujar y que ensaye sin ser dirigido. En algún momento el tema del dibujo se agotará y el niño mismo lo sustituirá por otro.

Bucles y círculos

¡Una espiral de bucles! ¿Qué es esto que se enrosca?

Un bucle tras otro van paseando felices.

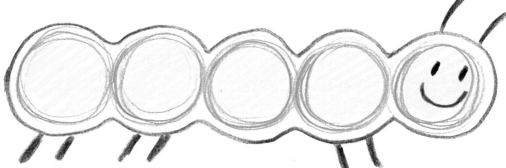

Los bucles se transforman en círculos. ¡Adelante, que continúe el viaje!

Y ahora todo se suelta. ¡Mira lo que tenemos! ¡Unos aros!

Todo alrededor se vuelve redondo.
Los ojos, la boca y las antenas delante,
y debajo patitas de oruga deslizantes.

¡Mi enroscada oruga,
pronto te convertirás
en una mariposa!

¡Coge el lápiz y mira lo que se puede hacer con dos círculos!

Un círculo grande y uno pequeño,
debajo las rayas para las dos patas.
El pico, los ojos, el ala y la cola,
ya tenemos el pollito entero.

Mira al suelo, mira arriba,
tal vez picotea un granito de comida.
Y si encuentra otro grano más,
¿tuyo o mío, de quién será?

9

Un huevo, de un bucle

Bucle arriba y bucle abajo. Bucle recto, bucle tumbado.

Bucle más grande, bucle más pequeño. ¡Un montón de bucles y uno más!

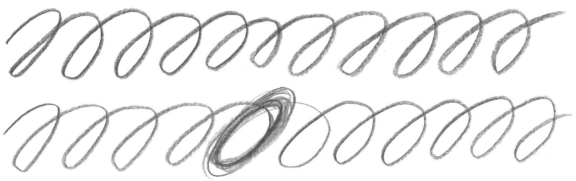

Saca fuera un bucle y tendrás un huevo.

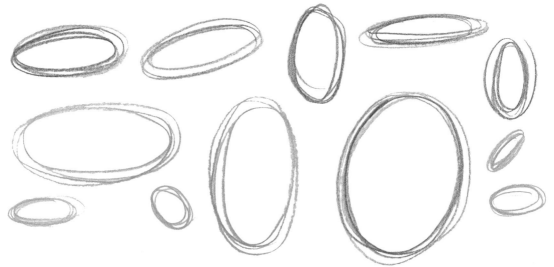

Huevos de pie y huevos tumbados.
¡Uno, dos, tres y muchos huevos más!

Y si ya sabes dibujar un huevo,
empieza a pintar un animal.

Un huevo pequeño para la cabeza.
Un huevo grande para el cuerpo.
Y óvalos para las orejas, la cola y
las patas necesita también este conejo.

A la oveja le ponemos con unos bucles
una lana suave y bonita.
Las orejas y el rabo, uno, dos y tres.
¿Y la cabeza? Un huevo grande.
¿Cuántas patas le dibujamos?
¡Una, dos, tres y cuatro!

Cuatro óvalos y un huevo,
un pez nadando feliz y contento.

La cara y la boca
son también redondeadas.

¿Oyes lo que dice?
Glug, glug. ¡No sabe decir nada más!

11

Zigzagueando ángulos

El lápiz sube por la montaña
por todo el trozo empinado.

Pero en el pico da un giro
y baja de nuevo al valle.

Montaña arriba y de vuelta al valle: ¡zigzag, zigzag y una vez más!

Por abajo recto.
Mira qué es esto: un triángulo.

El lápiz dibuja una línea corta. ¡Detente! Ahora gira en el ángulo.

Y así continuamos: arriba y hacia un lado, y otra vez abajo.
Ahora pinta uno por separado y observa, obtendrás un cuadrado.

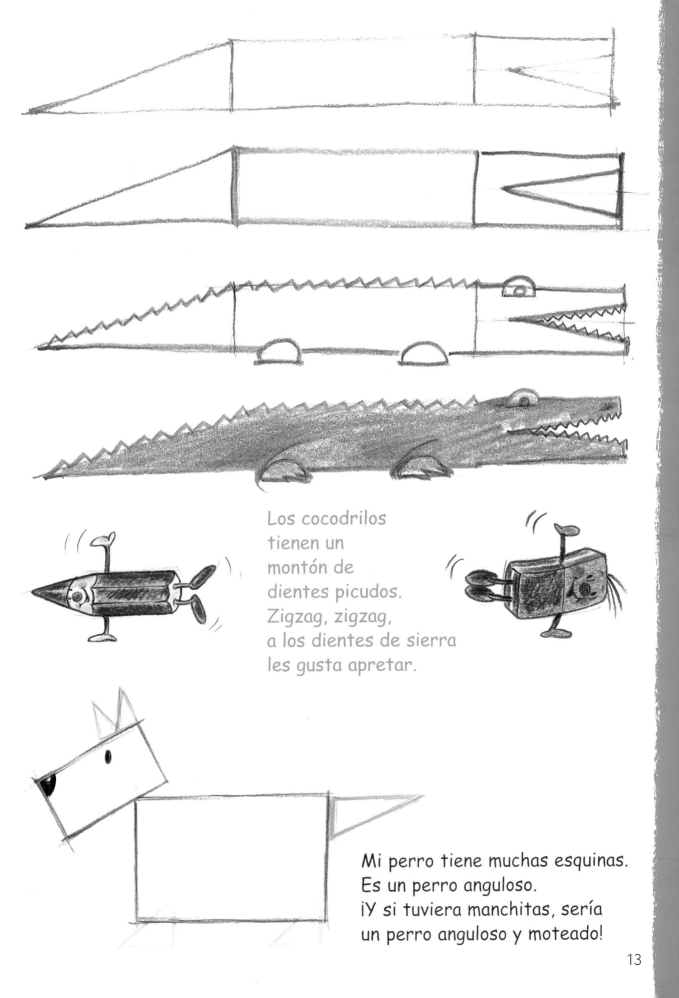

Los cocodrilos
tienen un
montón de
dientes picudos.
Zigzag, zigzag,
a los dientes de sierra
les gusta apretar.

Mi perro tiene muchas esquinas.
Es un perro anguloso.
¡Y si tuviera manchitas, sería
un perro anguloso y moteado!

13

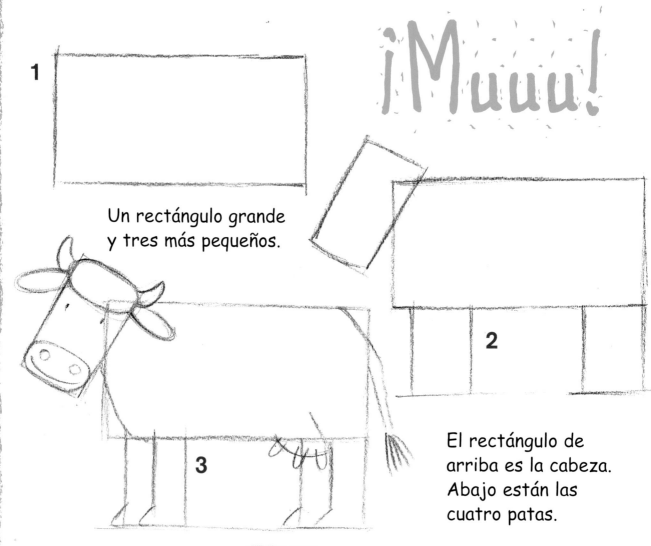

1

Un rectángulo grande
y tres más pequeños.

2

El rectángulo de
arriba es la cabeza.
Abajo están las
cuatro patas.

3

¡El rabo en un lado!
Seguimos dibujando:
la cara y las orejas,
los cuernos y la ubre.

Aquí está la vaca
y nos mira.
Quiere estar tranquila.
Y nos dice: gracias.
¡Muuu!

¡Muuu!

¡Oing!

1

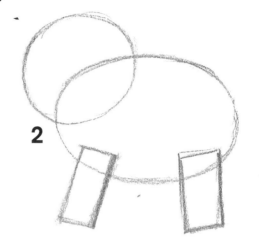
2

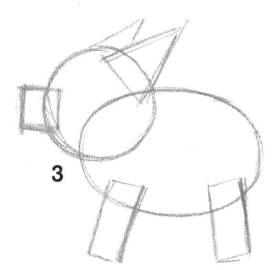
3

Nuestro cerdito es redondo y gordito.
Debajo, las patas angulosas.
Las orejas y el morro tienen ángulos
que después borraremos.

Coloca detrás el rabo enroscado.
¡Oing!, gruñe el cerdito.
¡Coloréame bonito!

4

1

Este huevo está muy solo.

Ponemos abajo unas patas,
pintamos arriba las alas
y la cabeza. ¿Y qué más?

2

3

El pico abierto y las alas extendidas:
¡Cua, cua!
¡A todo el mundo va a despertar!

16

1

Si el pato va a nadar,
sus patitas ya no están.

2

Con el pico cerrado, nada ahora
en el estanque muy callado.

Abre el pico de nuevo y empieza
a graznar muy guerrero.

1

2

17

En el gallinero

1

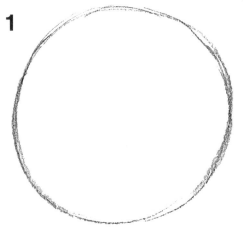

Esto es un círculo. Y ahora, ¿qué hacemos con él?

2

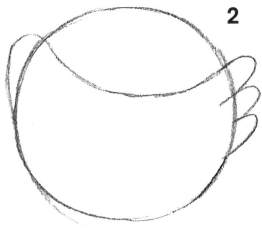

Dibujamos dentro una gallina. Primero solo hacemos el traje de plumas.

3

Después viene lo demás, todo lo que una gallina puede necesitar.

Ya no nos hace falta el círculo. ¡Lo borramos y después a colorear!

1

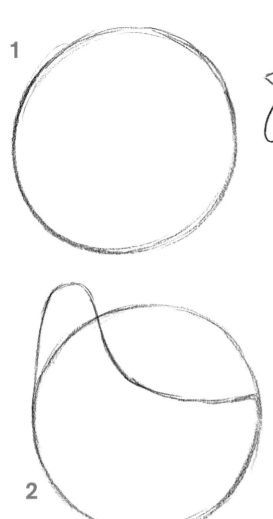

2

3

¡Quiquiriquí!
Dibujamos primero el orgulloso gallo,
con la misma forma que una gallina.

¡Quiquiriquí!
Después le añadimos
la cola de plumas
multicolores.

Un círculo y otro círculo: siempre dos.
Un triángulo y una raya:
¡Uno, dos, tres,
aquí llega la bandada de pollitos!

1    **2** 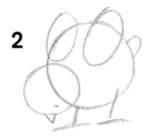   

La cabeza bajada y las alas estiradas:
¿Hay algo por aquí que descubrir?

1    **2** 

La colita arriba, ¡seguro que ahí
delante hay algún granito de maíz!

1    **2**    

¡Menuda cara de desilusión!
¡Era el último granito y ya se lo tragó!

Caballo

1

Este es el aspecto que tiene al principio.
Pero más adelante un caballo será:

El cuello delante,
la cola por detrás.

2

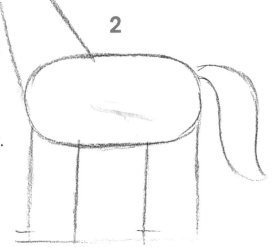

Debajo las patas, gruesas
y rectas.

3

La cabeza y las crines arriba
del todo. Ahora el caballo
levanta las orejas.

Y con sus veloces cascos,
viene al galope
cuando le
llamamos.

1

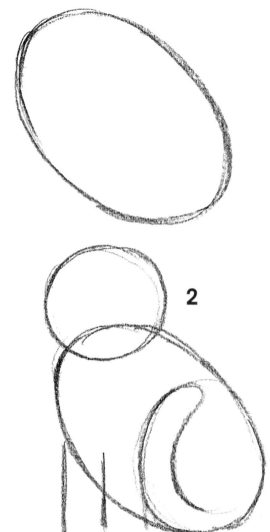

¡Miau!

Los gatos corren, los gatos arañan:
y es que un gato tiene cuatro zarpas.
Si está sentado, se ven solo dos.
Pero primero hay que dibujar un huevo.

2

Las patas, la cabeza y el rabo.
¿Esto es ya un gato? Todavía no.
Le falta la cara.
¡Y aún no tiene las zarpas!

¡Ahora sí! Con el pelaje pintado,
empieza a ronronear el gato!

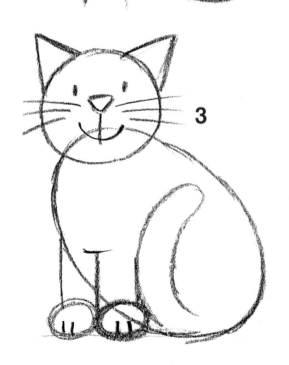

3

1

2

3

Si el gato está delante de nosotros, muestra todas las patas. ¿Ves?

1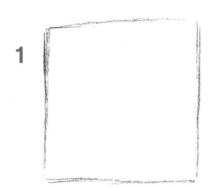

2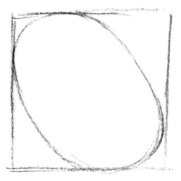

Observa bien, así dibujamos un perro:
¡es un cuadrado redondeado!

3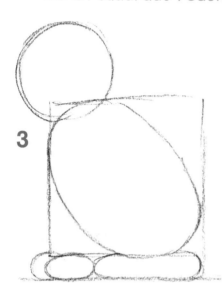

4

Las patas dentro, la cabeza arriba.
La cola sobresale por detrás.

5

Las orejas angulosas y el
hocico redondo: ¡Linda, siéntate!
¡Bravo, perrita, bravo!

Linda y Manchitas

1

2

3

Aquí está Manchitas preparado.
¿Te apetece sacarle a pasear?

Mariquita

Un óvalo, un círculo y dos óvalos más:
¿Qué es todo este lío que se ha armado?

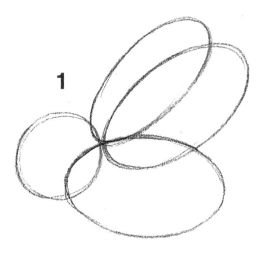

1

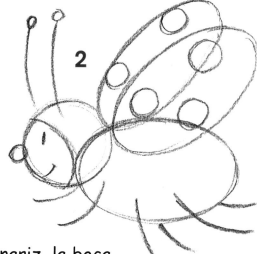

2

Las antenas, las patitas, la nariz, la boca,
y unos puntos redondos y grandes.

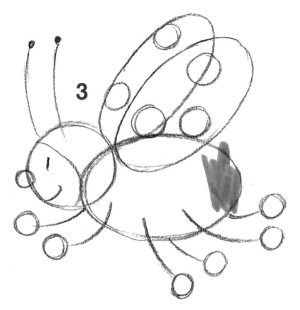

3

Dibújale también los pies,
¡sin ellos no puede correr!

26

Mariposa

1

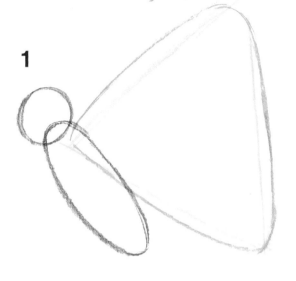

2

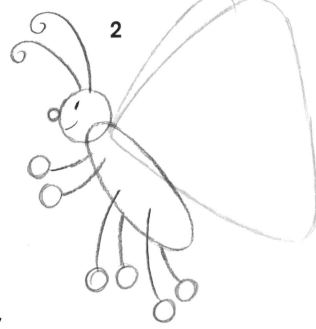

Un óvalo alargado, un círculo redondo,
el triángulo para las alas y...

... las antenas delante, abajo pequeños
pies para las finas patitas.

¡Qué precioso
objeto volador
es esta mariposa
multicolor!

El caracol tiene una casa,
a veces saca la cabeza fuera.
Pero si la comenzamos ahora,
él permanecerá dentro un momento.

Caracol

1

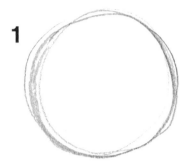

De aquí saldrá una espiral.

2

Empieza por abajo y dibuja un trazo
hacia dentro y hacia el centro.
¡Y ve siempre hacia la derecha!

3

4

Esto será la cabeza y el cuerpo,
que tiene la forma de una manguera.

5

El pequeño caracol saca
los cuernos fuera de su casa
y se asoma a mirar satisfecho.

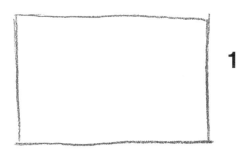

1

La caja está aún vacía.

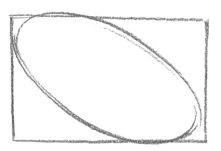

2

Dibujamos un óvalo.

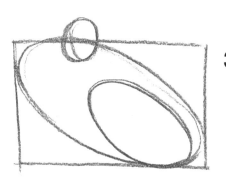

3

¿Qué se ve ahí arriba?

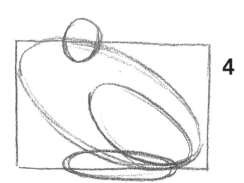

4

¿Qué será lo que aparece por abajo?

Rana

5

Primero una pata, después otra pata.

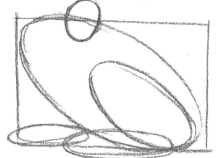

6

Una boca para croar. ¿Oyes lo que dice este animal?

Píntame de verde y amarillo y para que suene más fuerte, ¡croa conmigo!

Erizo

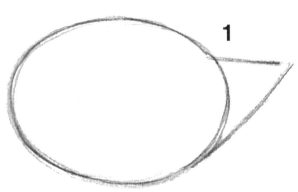

1

Necesito un huevo para el cuerpo y una nariz puntiaguda.

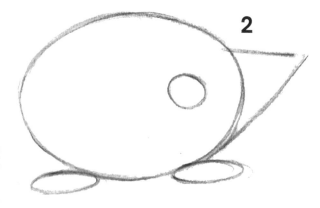

2

Abajo tengo los pies, ahí cerca una oreja. Después vendrán las púas. Pero antes...

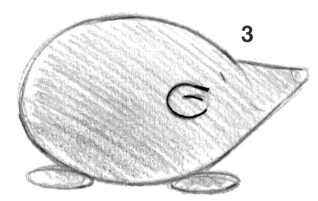

3

... píntame con una forma redonda. ¡Y dibuja encima las púas negras!

Solo me falta la cara. ¡Cuidado!, soy un erizo que pincha.

Ratoncito

1

2

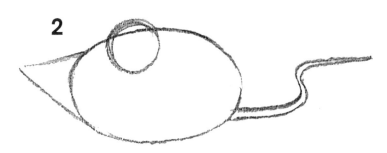

3

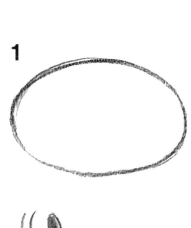

El ratoncito de juguete
no tiene patas.
Se desliza sobre la barriga.
No importa. ¡Así también funciona!

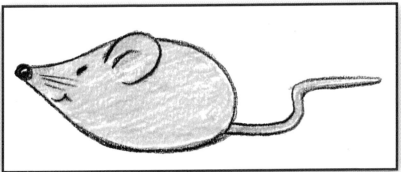

Amanita muscaria

1

Esta seta tiene un sombrero
y debajo un grueso tallo.
Si alguien se pone debajo,
no se moja con la lluvia.

2

3

Esta seta tiene un sombrero,
pero algunas son venenosas:
¡Menos mal que todos saben
que la amanita muscaria
no se come!

Zorro

1

Un óvalo, encima una bola y zas,
ya tenemos una pequeña...

2

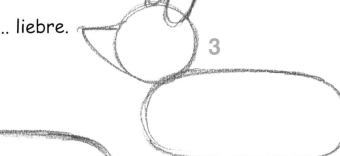

... liebre.

3

¿Liebre?

4

¿Con las orejas cortas
y la nariz puntiaguda?
¿Y esa enorme cola?
Pues no, ¡es un zorro!

Desde arriba
se ve muy bien
el gran sombrero
de la seta.

Por arriba y por abajo

1

2

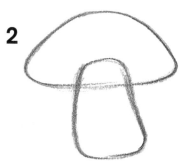

1

2

Ahora nos hacemos tan pequeñitos
como un ratoncito.
¡Y si miramos desde abajo,
vemos la seta muy diferente!

3

Lechuza

1

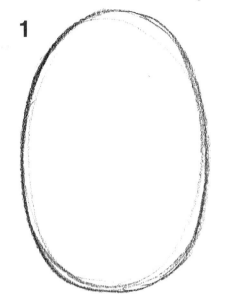

Qué solito está ahí el huevo:
¡El huevo quiere ser una lechuza!

3

Dibujamos dos alas por fuera,
los dos pies para que no se caiga,
el pico y el traje de plumas.
¡Y le damos color!
Mira, ya está terminada.

2

Le dibujamos los ojos: muy grandes,
pero las orejas pequeñas.

Qué solita está ahí la lechuza.
¡Ay, no pongas ahora esa cara
tan triste!

Ardilla

1

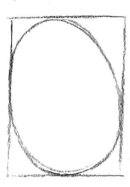

Grita la ardilla
en el bosque:
¡El huevo va inclinado
dentro del rectángulo!

2

¡Así ha de ser! ¡Estamos haciendo
un dibujo contigo!
La cabeza se pone en un ángulo.
Y ahí van las patas, una grande
y otra pequeña.

3

Dentro del círculo dibujamos
la cola esponjosa y después las
orejas, muy finas y tiesas.

Grita la ardilla: ¡Es genial!
¡Se parece mucho a mí, es verdad!

Abeto

Si ya sabes dibujar un triángulo, anímate y planta un abeto.

Dibuja primero el tronco y encima el primer triángulo. Ahora coloca el segundo en el medio y arriba del todo el tercero.

Si quieres que el abeto sea más alto, ¡dibújale más ramas!

Árboles

Un grueso tronco, ¡es genial para trepar!
Encima una cabeza con pelambrera de hojas.
Este árbol tiene una copa verde,
pero en invierno la pierde.

Liebre

1

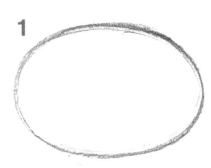

Dibuja primero un gran huevo...

2

... y después uno pequeño. Ya son dos.

3

Añade las orejas, el rabo
y las patas: solo dibujando
unos óvalos. ¡Fíjate bien!

El pelaje, el ojo y una naricita:
ya está terminada la liebre saltarina.

Dinosaurio

¡Qué largo es un dinosaurio! ¡Desde la cabeza, con la que el dinosaurio devora, hasta la punta de atrás, donde todo termina al final de la cola!

1

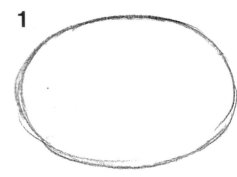

Entremedias el dinosaurio es gordito. Empezamos dibujando este trocito.

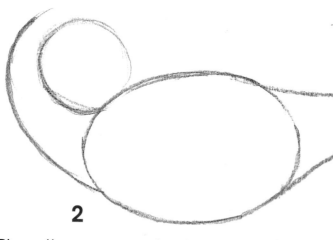

2

El cuello se curva alrededor del círculo y se dibuja una cola muy larga hacia atrás.

3

Dibuja una cabecita encima y después empieza el montón de picos de la cresta.

4

¡Con esas patas gruesas y cortas un dinosaurio nunca se hunde en un pantano!

Tiranosaurio

Por la mañana muy temprano,
estampa su huella el tiranosaurio,
gruñendo y bramando va por la selva:
¡Tengo hambre, me rugen las tripas!

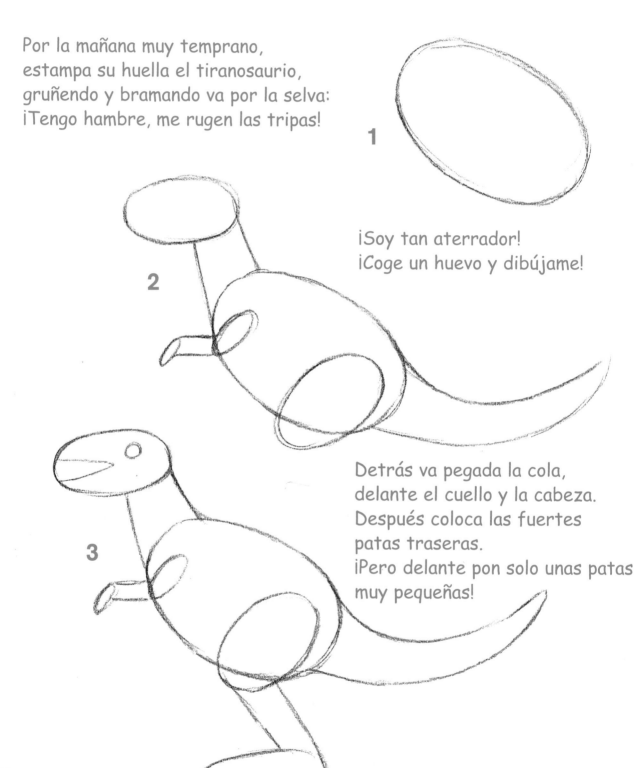

1

¡Soy tan aterrador!
¡Coge un huevo y dibújame!

2

Detrás va pegada la cola,
delante el cuello y la cabeza.
Después coloca las fuertes
patas traseras.
¡Pero delante pon solo unas patas
muy pequeñas!

3

Ahí se acerca dando saltos.
¡Tiene abierta la boca!

4

¿Y si ahora me atrapa?
¡Se ha extinguido! ¡Qué suerte he tenido!

Delfín

1

Empieza dibujando
un óvalo.
Después enseguida
viene el hocico.

2

Coloca detrás la aleta caudal,
dibuja las aletas laterales y
arriba del todo la aleta dorsal.
¡Todo encaja como si fuera un guante!

3

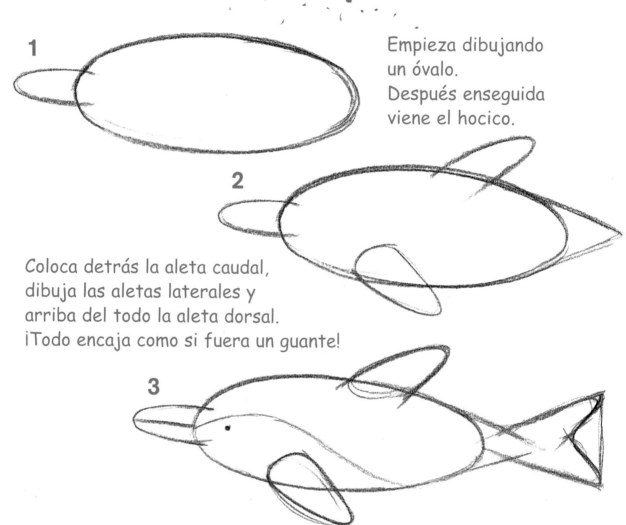

¡Terminado! Ya puede el delfín
saltar en las olas contento y feliz.

44

1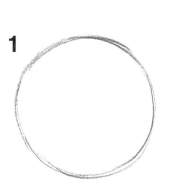

Esto es la bola para hacer el cuerpo.

Unas aletas puntiagudas alrededor,
por favor.

Pez gordito

2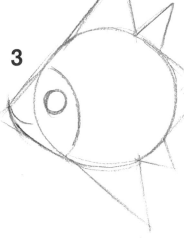

3

Necesita además una boca y unos ojos.
¡Pez listo! ¡Venga,
a echarlo al acuario!

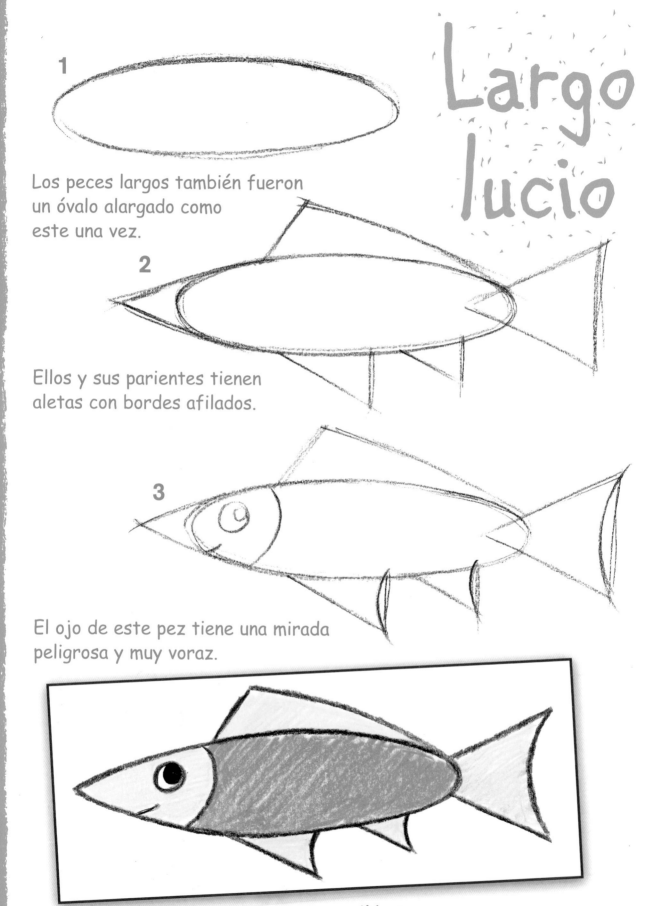

1

Los peces largos también fueron un óvalo alargado como este una vez.

Largo lucio

2

Ellos y sus parientes tienen aletas con bordes afilados.

3

El ojo de este pez tiene una mirada peligrosa y muy voraz.

¿No te parece que es un lucio bonito y audaz?

Pingüino

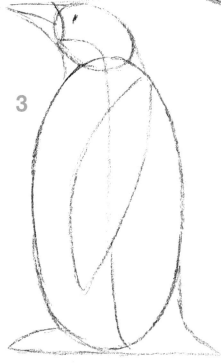

1

2

Hay un hombrecillo en el Polo Sur con una gran barriga.
Le dibujamos la cabeza y las alas, la cola y los pies.

3

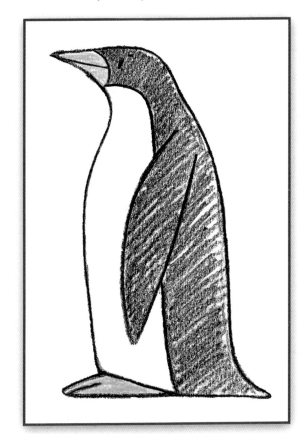

Delante le ponemos el pico, los ojos, los dedos del pie, la pechera y al final, vestimos al pingüino con un oscuro abrigo.

47

Pajaritos

1

2

3

El pajarito aletea,
el pajarito se queda quieto.
Mira, ahora te enseño
cómo tienes que hacerlo.

Si el pájaro quiere
volar hacia lo alto,
estira y extiende
las alas.

Pero si prefiere quedarse quieto,
recoge las alas alrededor del cuerpo.

1

2

Mono

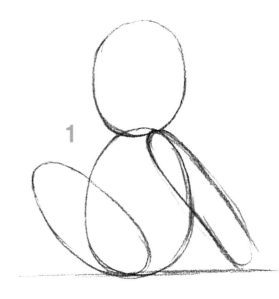

1

¡Quien quiera dibujar un mono, mejor que lo pinte tranquilo y silencioso, sentado en el suelo y no saltando por la selva!

Pon un huevo de pie en el suelo. Coloca encima otro más pequeño. Dibuja primero el brazo y la pata, y la mano y el pie después.

Unos pequeños círculos para las orejas; delante, para la cara, otro círculo más grande. Dibuja los dedos, la nariz, los ojos y la boca.

Y ahora solo falta pintarle el pelo.

¡Sigue sentado, esto va muy rápido!

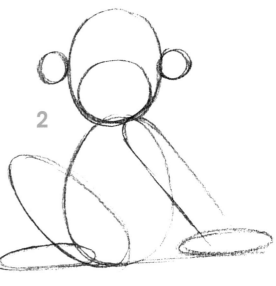

2

3

49

En África sigue sin ser descubierto un elefante muy pequeño.

Elefante

1

2

3

Se parece a un rectángulo.
Ahora aparecen la cabeza y las patas.
Lleva orgulloso la trompa por delante
y por detrás del cuerpo
cuelga su rabito.

Tiene orejas grandes y
los colmillos pequeños.
¡Pronto crecerá y
más grande se hará!

¡Mira, mira! ¡Un elefante!
¡Ahora puedo reconocerlo!

León

Esto será un león, orgulloso y salvaje.
Así dibujamos el cuadro del león:

1

Empezamos con el cuerpo.

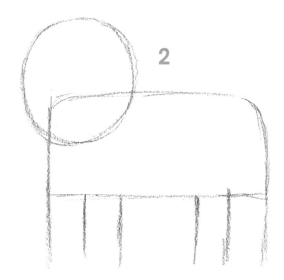

2

3

Añadimos la cabeza y las patas.

¡Los leones tienen la cabeza y las garras mucho más grandes que los gatitos!

Alrededor de la cara va la melena. ¿Dónde están los colmillos afilados de este león?

Pero no, no nos enseña los colmillos.
¡Nos moriríamos de miedo!

1

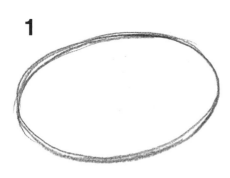

Jirafa

Todos los animales tienen una barriga,
y también la jirafa.
¡Por aquí han empezado alguna vez
todos los animales largos!

2

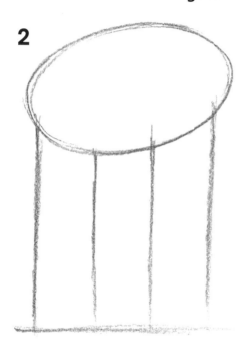

3

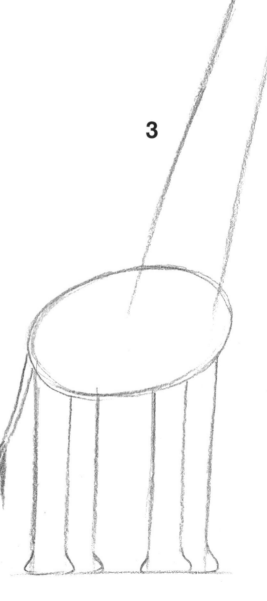

Y para andar la jirafa necesita
unas patas, bastante largas.

Pero nada hay más largo
que el cuello de la jirafa.

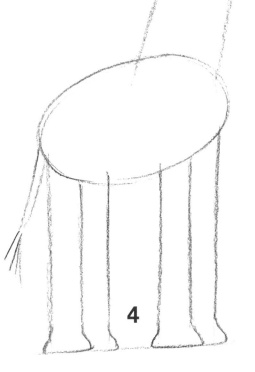

4

La jirafa lleva arriba
la cabeza muy erguida.

Pinta detrás una oreja.
Dibuja delante un círculo
para el hocico
y otros dos para
los cuernecitos.

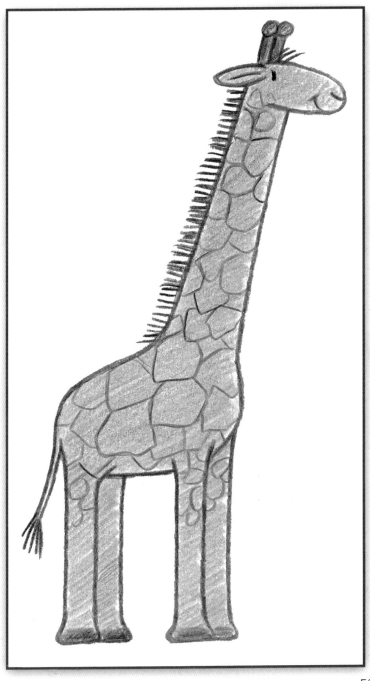

Y solo falta hacerle
el pelaje y las crines
a esta jirafa.
¡Esto va a toda marcha!

Bien. Aquí está
mirándonos el animal.
¡Cuando come, tarda
mucho tiempo en tragar!

El canguro
salta siempre
y es raro que se quede quieto
un rato.
Por eso dibujamos a toda prisa
a este marsupial,
desde la cabeza
hasta los dedos del pie.

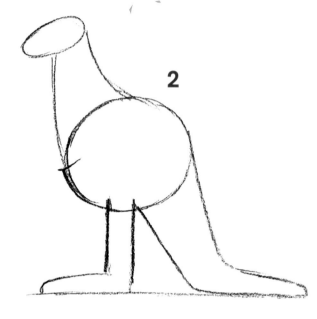

Canguro

1

Pronto aparece ya sentado
sobre su rabo.
Dibujamos las patas,
y tiene el canguro además
una barriga.
Dentro va metida la cría.

2

3

Cada rinoceronte tiene delante, en la nariz, un cuerno pegado. Pero el cuerno se pone luego. ¡Empieza por el rectángulo!

Rinoceronte

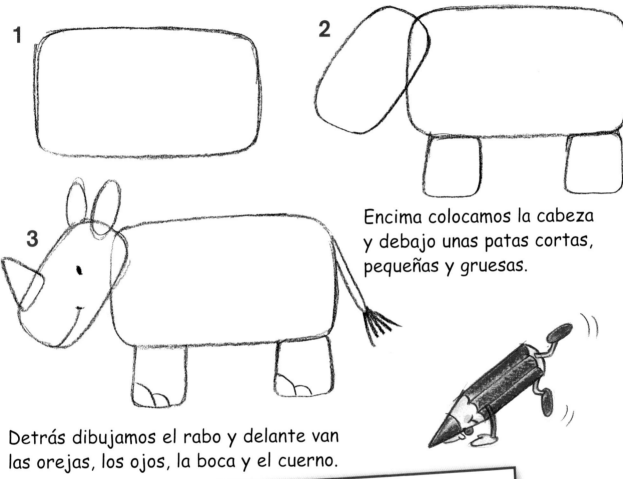

1

2

Encima colocamos la cabeza y debajo unas patas cortas, pequeñas y gruesas.

3

Detrás dibujamos el rabo y delante van las orejas, los ojos, la boca y el cuerno.

Camello

1

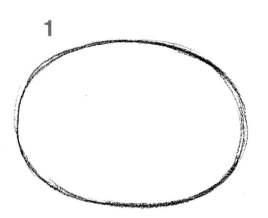

En la inmensidad del desierto
está recostado un huevo.
¿Cuántas gibas le ponemos? ¡Dos!

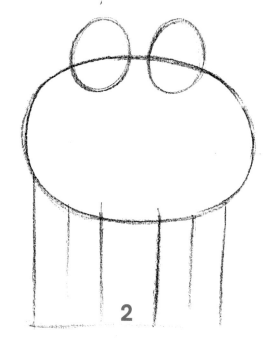

2

¿Y cuántas patas le dibujamos? ¡Cuatro!
¿Qué animal del desierto es este?

3

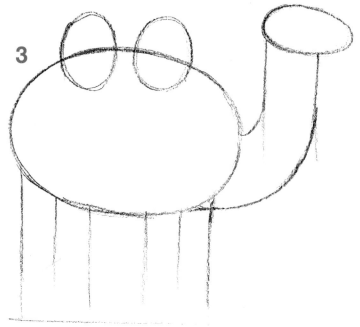

Por delante sobresale el cuello,
curvado como un tubo grueso.

4

Aquí está de pie el camello, escucha
lo que dice: Me faltan aún la cara de
camello, las orejas, las pezuñas y el rabo.
¡Venga, termina que estoy preparado!

¿Ves mis dos gibas?
¡Por eso soy un camello!
Si solo tuviera una giba, está claro,
no sería más que un simple dromedario.

1

Camión

Delante pintamos una caja alta, detrás una caja alargada.
La caja de delante para el conductor, la de detrás para la carga.

Delante dibujamos
la cabina del conductor.

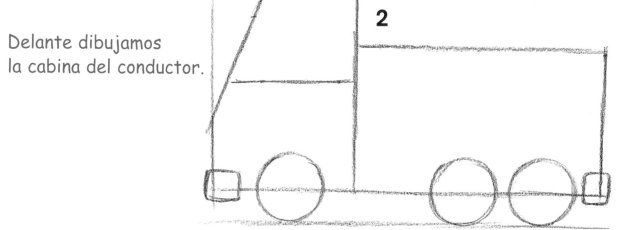

2

La cabina no tiene peso.
con pintarle una rueda basta.

Detrás sí hay mucha carga,
se necesitan más ruedas.

3

Dibuja dentro un círculo
muy pequeño.
Cualquiera puede verlo:
ya dan vueltas las rueda

4

Delante ponemos una puerta.
Tenemos que atar bien
toda la carga por detrás.
¡No debes perder nada!

Coche

1

Empieza con un rectángulo.
Divídelo con dos líneas.
Pinta debajo las ruedas
y arriba el techo y las ventanas

2

Dibuja el capó, las puertas y la
parte trasera en el trozo blanco

Y cuando todos se hayan montado
el padre, la madre, el niño y el
perro, que arranque el coche,
el viaje espera.

3

60

Descapotable

1

El descapotable
es redondeado
y plano, y no
necesita techo.

Dibuja una caja, y redondéala
por delante y por detrás.

2

Píntale arriba
un parabrisas
puntiagudo.
¡Y también asientos!

Añade debajo las ruedas y delante los faros.
¿Ya está preparado? ¡Todavía no!

Ahora sí, terminado.
¡Por favor, para que
no llueva dentro,
que brille el sol!

3

Tractor

El viejo tractor ya no funciona.
¿Qué quiere el granjero?
¡Pues tener un tractor nuevo!
¡O si no, el granjero se enfada!

Empezamos dibujando dos cajas,
el tractor entra dentro.
Abajo ponemos las ruedas,
una grande y otra pequeña.

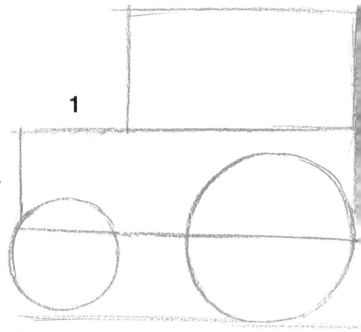

¿Y qué más necesita el tractor,
para que el granjero pueda hacerlo funcionar?

Dibujamos una cabina para el conductor
y dentro va un volante.
¡Pues, sin el volante, no podría girar
cuando marcha por el campo!

3

Colocamos muy arriba
el tubo de escape,
¡si no olerá mal en la
cabina del conductor!

Después le dibujamos
los neumáticos,
para que el tractor no dé un resbalón.

Rellenamos ahora el tractor con color.
¡Lo hemos coloreado genial!

Helicóptero

1

¡De aquí saldrá un huevo que puede volar!

Dibújale una cola.

2

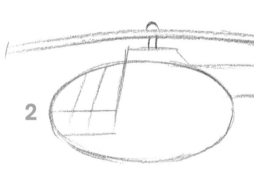

Por dentro rugen los motores
y por fuera giran los rotores.

3

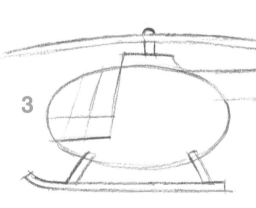

Abajo van los patines de aterrizaje
para que el helicóptero se vuelva a posar.

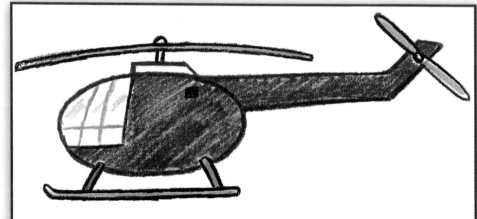

Barco de vapor

Mejor dibujamos al principio
tres cajas para el barco de vapor.
Por delante la proa está curvada.
Así el barco atraviesa
las olas más veloz.

Después dibujamos las ventanas
y la grúa,
y las olas.
Pintamos todo de color.

Y el barco de vapor feliz navega
por el mar
hacia África
y otra vez de vuelta.

1

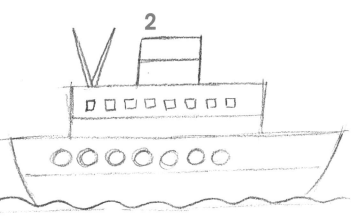

2

Velero

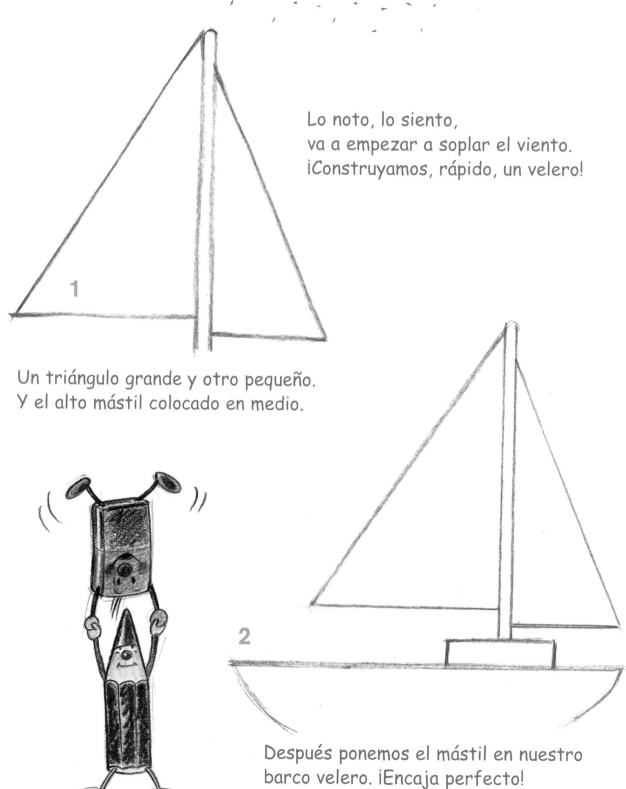

Lo noto, lo siento,
va a empezar a soplar el viento.
¡Construyamos, rápido, un velero!

Un triángulo grande y otro pequeño.
Y el alto mástil colocado en medio.

Después ponemos el mástil en nuestro
barco velero. ¡Encaja perfecto!

Construimos ahora la cabina del piloto,
con ventanas para mirar fuera.

Las olas bailan a un lado y a otro,
y arriba y abajo sobre el mar.

¡Aquí viene el viento!
¡Tensar los cabos!
Nuestro barco velero
empieza a navegar.

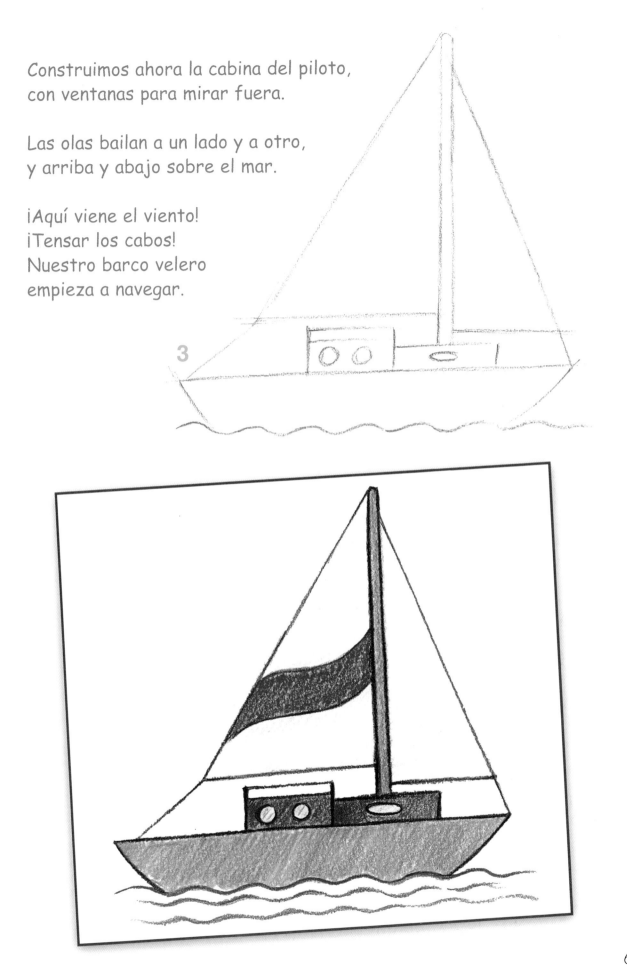

Castillo

El caballero Arturo necesita piedras
para construirse un castillo.
Y le hace falta además un plano:
empieza por las tres torres.

1

Un tejado de pico llevan las torres,
menos la más alta que se queda plana.
El constructor del castillo coloca
después una puerta y varias
ventanas en el muro.

2

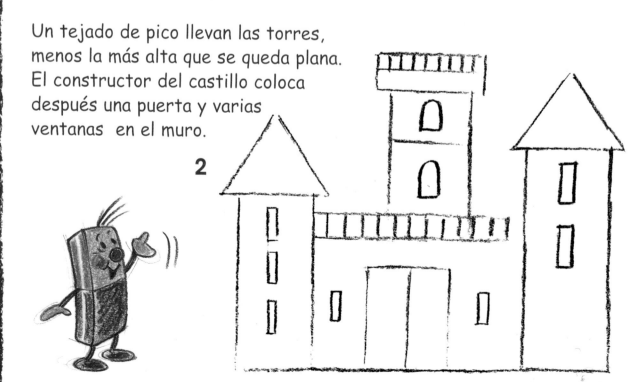

3

Fabrica la puerta de madera,
y construye las almenas piedra a piedra.
En lo alto ondean orgullosas las banderas.
¡El caballero no deja a nadie entrar en el castillo!

Osito de peluche

1

¿Con qué hace esos gruñidos el osito?
¡Con su enorme barriga!
Pero el osito también necesita unos
brazos, una cabeza y unas patitas.

2

3

Le dibujamos al osito
tres círculos y cuatro óvalos:
un círculo para el hocico,
dos para las orejas y
cuatro óvalos para las garras.

70

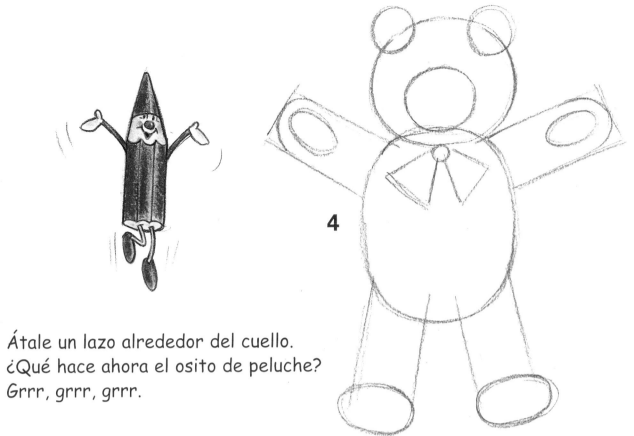

Átale un lazo alrededor del cuello.
¿Qué hace ahora el osito de peluche?
Grrr, grrr, grrr.

71

Niña

1

2

3

Esta es Mónica
y vamos a pintarle un retrato.

Empieza con un círculo y un cuadrado.
Añade triángulos para las mangas,
y para las manos,
¡dibuja unas pequeñas bolas!
Abajo van la falda y las piernas.

Dibújale la cara y después
¡vístela con una ropa bonita!

Niño

1

2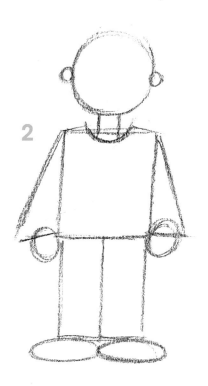

3

Este chaval se llama Nicolás
y se parece mucho a Mónica.

¿En qué se diferencian los dos?
Por arriba, solo en el corte de pelo.

Pero Nicolás lleva además
unos pantalones azules largos.

Princesa

1

La princesa no va a ninguna parte
sin su hermosa corona dorada.

2

Dibuja primero un triángulo
y encima del todo un círculo.

Después los pies y a ambos lados
las anchas mangas.
¡Y sobre la cabeza va la corona
y no una maceta!

3

¿Estoy guapa? No, ¡tengo que ir
corriendo al peluquero!
Oro y estrellas por todas partes.
¡Y ahora lista para el baile de los
cuentos de hadas!

Bruja

Por la mañana temprano a las seis, un círculo y un triángulo se transforman en una pequeña bruja.

1

2

3

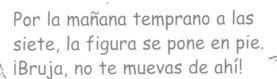

Por la mañana temprano a las siete, la figura se pone en pie. ¡Bruja, no te muevas de ahí!

Por la mañana temprano a las ocho: las manos, los pies y el sombrero de bruja, todo está listo en un santiamén.

4

Por la mañana temprano a las nueve, ya tiene su escoba. ¡Y la bruja sonríe feliz!

Por la mañana temprano a las diez, ¡La bruja está ya lista para ir volando a su trabajo!

Mago

1

2

¡Hazme una magia, por favor!
Venga, ahora te enseño. Es muy fácil.

Todo es puntiagudo en mí:
en la cabeza llevo un gorro puntiagudo,
puntiaguda es mi túnica y puntiagudos
mis zapatos.
Y la barba puntiaguda también es.
¿Qué llevo en la mano?
¡Mi varita mágica, eso es!

3

Enanito

1

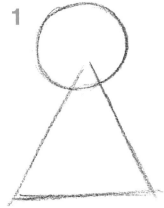

Si puedes dibujar
un triángulo,
añade encima una bola.

Vístele con un faldón
y ponle un gorro.
¡No te olvides
de los pantalones!

2

3

¡Átale el cinturón! Después cálzale
unos zapatos pequeños de enanito.

Dibújale el pelo y la cara.
¿Oyes lo que dice el enanito?:

¡Ay, me siento tan solo!
¿Quién me pinta un hermanito?

Pirata

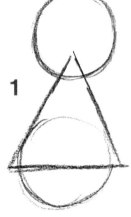

1

Un triángulo y dos círculos.
Adivina adivinanza:
¿De quién se trata?
¿Un pirata tal vez?

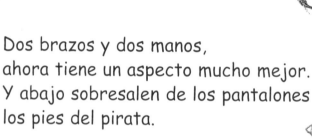

2

Dos brazos y dos manos,
ahora tiene un aspecto mucho mejor.
Y abajo sobresalen de los pantalones
los pies del pirata.

3

El pañuelo, el parche en el ojo
y la barba de bandido.
¿Quién quiere acompañar al pirata
a abordar barcos surcando el mar?

Payaso

Dibuja tres triángulos
y añade un círculo:
¡Un payaso! ¡Ahora verás!
Arriba del todo va la
cabeza de bola y el cuerpo
está de pie.

Le dibujamos las mangas
y unos zapatos gigantescos.
Le colocamos arriba un gorrito.
¿Cuándo empieza la función?

Una florecita y en el cuello un lazo.
¿Qué más necesita un payaso?
Pues, además, una cara divertida.
¡Y por supuesto, un traje multicolor!

OTROS TÍTULOS PUBLICADOS

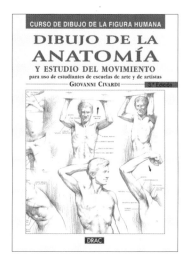

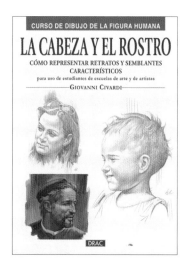

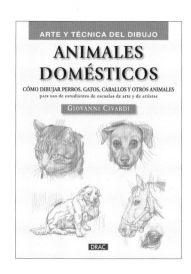

Más información sobre estos y otros títulos en nuestra página web:

www.editorialeldrac.com